靜思語

第三集

釋證嚴 著

編者言

釋德傅

今慈濟已邁入四十三年，證嚴上人以「靜思勤行道，慈濟人間路」立宗門，數百萬會眾投入慈濟場域，將「佛法生活化，菩薩人間化」的理念，以內修「誠正信實」，外行「慈悲喜捨」身體力行實踐於生活中，不但影響家庭，也在社會上形成善的循環。

慈濟人如何修身、修心？上人如何教導弟子？何以在急難處能迅速動員，發揮如千手觀音般的膚慰與愛的力量？

上人的思想實是慈濟人拳拳服膺的根源，其平實淺白的話語，不但融會佛法，更是上人體現佛法的珠璣，同時也指引諸多深陷迷途或煩惱的人，開啓生命美善與希望的門窗。

自一九八九年《靜思語》第一集出版迄今已二十年，期間發行了英文版、日文版、德文版、印尼文版等，不但跨越宗教的藩籬，也讓不同的種族從中與生命對話，啓發愛心與善念。在教育方面，引用爲教材，培育學童端嚴心性與品格，其成果深獲教育界的肯定。

時值《靜思語》出版二十周年的殊勝時日，除了精選《靜思語》第一、二集與新著第三集彙編成精裝【典藏版】，期待續發揮大用之用外；本書與前兩集不同之處，在於上人講述的時日於「靜思語」句末作標示，裨益於讀者明瞭其時空背景與當時社會環境，也能與慈濟史作結合。

第三集《靜思語》在第二集出版十八年後問世，其中含有大家已耳熟能詳的「靜思語」未於第一、二集出版的，都收錄於本書中，未來也將會循此編輯方向與原則陸續出版。

在此，我們特別向精心彙編第一集《靜思語》的已故主編高信疆先生，致最深的感恩與緬懷；他曾於第一集〈編輯緣起〉一文中寫道：「期待它的印行，不僅可作為慈濟人的覺行指南，也可提供有緣的社會朋友，一部摯切可行的生活辭典。深盼能讓更多人分享法師的智慧、慈悲和容忍，也分享那成就了無數慈濟志業的巨大力量。」這正是《靜思語》輯錄者的共同心願。

此書的發行，在讀好書之餘，期能將此中智慧法語在人人生命中轉為醍醐，慧命因利他而增長。

目錄

【第一篇】

愛與奉獻

——談人生

人生只有使用權，沒有所有權。

一九九四年五月廿九日全省委員聯誼會

要活得健康，重要的是心理健康，人生才會幸福。

一九九四年十二月廿五日晨語

幸福不是財富多、權大、位高，
而是自在、快樂、平安。

一九九六年三月十九日中區會員

為人群服務，是「人生」；
為生活服務，是「眾生」。

一九九六年六月十三日慈濟護專畢業生尋根之旅

人生的責任，是要做利益人群的事。

一九九六年十二月一日慈院同仁靜思體驗營

人生最大的懲罰是後悔。

一九九六年十二月廿九日全省委員聯誼會

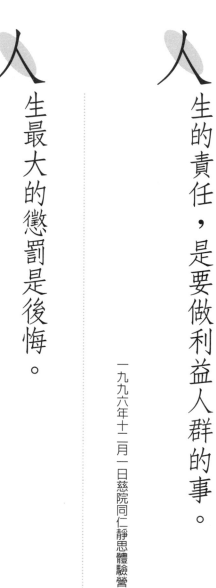

要看清人生的道理——以布施心轉慳貪，以慈悲心轉瞋恚，以智慧心轉愚癡。

一九九七年一月廿一日培訓委員歲末聯歡

真理就是人生可行之路。

一九九七年五月廿八日晨語

常懷感恩心而不埋怨，
人生道路才能暢通無礙。

一九九七年八月一日志工早會

有所求的人生，就有痛苦與煩惱。

一九九七年十二月十四日環保志工尋根

覺悟的人生，知道如何付出與造福。

一九九七年十二月十四日環保志工尋根

生命無價，會用才有價值，不會用則是白白浪費。

一九九七年十二月廿二日藥師法會

今天只有一次，
應好好把握做該做的事。

一九九八年十一月十六日志工早會

心若能融會貫通道理，
人生的方向就不會走錯。

一九九八年十一月八日全省委員聯誼會

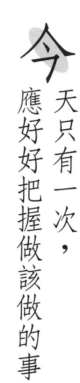

做對人生有意義的事，
才是生命真正的價值。

一九九八年十一月八日全省委員聯誼會

沒有吃過苦的人生，就無法真正探討道理
也無法充分發揮良能。

一九九八年十二月十七日志工早會

人生最有價值的，是健康的身體；比健康更有價值的，是正確的人生方向。

一九九九年七月四日全省委員聯誼會

擁有正確的人生觀，才能擁有幸福的人生。

一九九九年七月四日全省委員聯誼會

生命的價值，在於能為人間負責任。

一九九九年十二月七日北區歲末祝福

人生要懂事、懂理；懂得做人、懂得付出。

二〇〇〇年二月廿三日志工早會

人生難免遭遇挫折，要經得起考驗，才能保住慧命，突破難關。

二〇〇〇年十一月十七日志工早會

人生最寶貴的是生命，最痛苦的是病痛，所以拔苦從拔除病苦開始。

二〇〇〇年十二月廿六日志工早會

有愛的人生才幸福。

二〇〇〇年十二月三十日北區歲末祝福

沒有使命的人生，是沒有價值的生命。

二〇〇一年二月十五日教師尋根

有愛心與奉獻，就是美麗的人生。

二〇〇一年三月十二日志工早會

計較少一點，付出多一些，就是可愛的人生。

二〇〇一年四月十四日慈院醫師座談

安心睡、快樂吃、歡喜笑、健康做，
是人生四寶。

二〇〇二年四月廿二日志工早會

老來有「三好」：經驗豐富好、健康長
壽好、走入社會當志工更好。

二〇〇二年十月十四日志工早會

人生無法掌握生命的長度，
卻能自我拓寬生命寬度與厚度。

二〇〇三年二月廿三日志工早會

雖然人生充滿苦難與悲痛，
但是也充滿希望與愛。

二〇〇三年三月十日與同仁談話

將人生的挫折視為教育，不畏艱難、愈挫愈勇，即是生命的勇士。

二〇〇三年十二月十四日志工早會

和諧的人生最美，安定的社會最幸福。

二〇〇四年三月廿一日志工早會

追求真善美，才能美化人生。

二〇〇四年九月十八日與主管談話

簡單，可以淨化人生；複雜，會醜化人生。

二〇〇四年十月二日志工早會

苦難是一堂寶貴的人生課程。

二〇〇五年一月廿二日志工早會

以寬廣的歡喜心，
接受過去所寫的人生劇本。

二〇〇五年八月十六日臺中分會

人生富足之道，不在於物質，而在於自心。

二〇〇六年一月八日志工早會

談生死，應瞭解如何去除煩惱。

二〇〇六年一月廿七日美國董事會

從生到死的這段時日，
重要的是立德與立行。

二〇〇六年四月五日志工早會

人生沒有回頭的機會，
遇逆境應勇敢面對。

二〇〇六年五月廿八日草屯聯絡處

愛惜生命並非計較壽命長短，而是應時時提高警覺，把握分秒利益人間。

二〇〇六年十月十七日晨語

能知理、惜理、守禮，就是光明磊落的人生。

二〇〇六年十一月十五日志工早會

一秒鐘一輩子，能恆持一念心，就是一生的方向。

二〇〇六年十二月四日彰化感恩時刻

人生是否有價值，不在於他人眼光，而在於善用生命良能。

二〇〇七年十一月七日晨語

少欲知足，是最富有的人生。

二〇〇七年九月十六日海外幹部研習營

為生活而工作，人生不快樂；為工作而生活，才是人生的真價值。

二〇〇八年二月廿三日志工早會

人生困難重重，有心就不難。

二〇〇九年一月三日志工早會

無論人生長短，只要真實地付出善念，就是很美的生命樂章。

二〇〇九年三月一日志工早會

【第二篇】

人情練達——談世事

以事顯理，以理行事。

一九八四年八月十二日委員聯誼會

對人和睦才能歡喜、自在地過日子。

一九九四年十二月一日晨語

與時競爭、接受考驗，才會成功。

一九九五年一月廿八日晨語

人事的艱難，不但是智慧的磨刀石，也能長養毅力與勇氣。

一九九五年一月廿五日與會眾談話

善用世間財利益人群，獲得輕安自在，才是真正屬於自己。

一九九六年一月十日委員受證

省錢是美德，用錢用得有意義是功德。

一九九六年三月廿三日慈誠會議

人事逢逆境，當歡喜順受，
自有好因緣、好果報。

一九九六年十二月七日晨語

懂理的人，不一定懂事；
懂事的人，一定懂理。

一九九七年八月十五日志工早會

生命需用在人、事、理會合的生活中。

一九九七年十二月廿二日藥師法會

人人有事做，事事有人做，則愈做愈歡喜。

一九九八年十二月廿三日北區幹部座談

心合、齊力，力量就大。

一九九八年十二月廿六日北區委員聯誼

以上課的精神，學習人生的真實。

一九九九年六月廿四日志工早會

用心就是專業。

一九九九年六月廿七日慈誠精進佛二

用志願的精神從事專業工作，就會很愉快也很有價值。

一九九九年十一月十八日本會同仁座談

有心做事的人，是「事因人做」，不是「因人做事」。

一九九九年十一月廿一日全省志工幹部研習營

分秒必爭，換一個工作方式就是休息。

二〇〇〇年一月廿一日北區歲末祝福

自我管理，就是每個人應對自己負責、管理好自己。

二〇〇〇年二月廿一日外賓訪談

對「工作認真」是正確的，對「是非認真」則是錯誤的。

二〇〇〇年九月十二日人醫會

人生的苦惱，莫過於與自己、人事過不去。

二〇〇〇年十一月十七日志工早會

與人摩擦，應感恩對方願意磨練自己，使我們的心靈光亮。

二〇〇〇年十一月十三日與海外慈濟人談話

以愛自我管理，用愛關懷他人。

二〇〇一年八月五日晨語

引導團隊的良方，在「用智慧輔導，以愛心對待」。

二〇〇二年二月一日與主管談話

勇於承擔的人，會將壓力轉為使命，則力量源源不竭，能做得歡喜。

二〇〇二年三月九日與同仁座談

理講太多，情就薄；情感淡薄，事難成。

二〇〇二年四月十三日與同仁座談

受人折磨，能注意不折磨他人，也是增添一分智慧。

二〇〇二年五月十三日海外慈濟人

好話多說，是非不談。

二〇〇二年十二月六日高雄歲末祝福

能合情、合事、合理，才是真理。

二〇〇三年八月三十日臺北委員慈誠聯誼

個人是非莫計較，大是大非應明辨。

二〇〇三年九月一日中壢聯絡處

心無雜念、凡事樂觀、踏實做事，
就會有智慧。

二〇〇四年五月三十日北區委員慈誠精進

待人處事，在原則中有方便，
在方正中有圓融，才能和諧。

二〇〇四年六月廿五日與教育同仁座談

未經人事磨練，磨不出柔軟心。

二〇〇五年四月十一日與會眾談話

面對困難，當下盡心、盡力、盡人事就對了。

二〇〇五年四月廿四日與慈院醫師座談

對人虔誠，要尊重；對事虔誠，要感恩。

二〇〇五年六月十九日屏東分會

若能知苦，才能得樂。

二〇〇六年一月廿八日晨語

簡單就是美。

二〇〇六年二月十五日晨語

單純就是愛的力量。

二〇〇六年六月二十日志工早會

父母是孩子的「模」，老師是學生的「樣」；以好模樣，培育孩子正確的人生觀。

二○○七年七月十四日教聯會營隊

能指引正路，是良師；能同行正道，是益友。

二○○八年二月二日晨語

時時虔誠，無不吉祥；
日日好心，無不平安。

二〇〇八年八月十四日志工早會

遇事，若能平心面對，很快就會度過。

二〇〇九年二月十六日北區委員慈誠座談

【第三篇】

和平美善

——談大愛

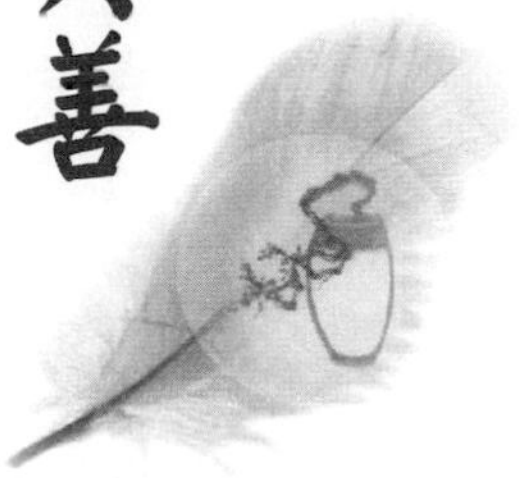

愛心的力量，比什麼都有用。

一九八九年十一月外賓訪談

愛心是照顧好自心——對內，不起煩惱；對外，不破壞形象。

一九九七年十一月廿七日海外慈濟人尋根之旅

社會需要愛，人人需要愛；愛是人生最大的幸福。

一九九八年八月九日全省委員聯誼會

心有滿滿的愛，能化解仇恨與敵對。

一九九八年十月十一日全省委員聯誼會

愛的力量，可以撫平心靈的不安，讓社會安定祥和，消除一切的災難。

一九九九年一月十日全省委員聯誼會

為大愛付出的願，不會有失落感。

一九九九年七月十五日外賓訪談

人生最醜陋的是私愛與仇恨；
最美的是大愛與溫情。

一九九九年九月廿三日志工早會

人生有愛，同心同力就不孤單。

一九九九年十一月十一日志工早會

心中有愛，也要「行」中有愛。

二〇〇〇年十一月十六日志工早會

超越迷情小愛，才能愛得一方心無掛礙，一方解脫自在。

二〇〇一年三月十八日與會眾談話

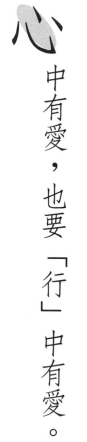

大愛包含小愛，小愛卻無法體會大愛。

二〇〇二年三月九日北區委員聯誼會

小愛充滿煩惱，大愛輕安自在。

二〇〇二年九月十六日臺東委員慈誠聯誼

有愛，就沒有距離；
用愛調和，能消除社會亂象。

二〇〇二年九月廿二日志工早會

愛心最美，愛心的記憶最深。

二〇〇三年一月十七日慈濟中小學歲末祝福

人生的最後，奉獻軀體作醫學教育，是生命的勇者。

二〇〇三年三月十六日大體老師追思會

有智慧，能發揮勇猛的大愛。

二〇〇三年五月十七日志工早會

有求有私，會受環境控制；無求無私，才能勇敢堅定。

二〇〇三年十月四日全省合心組精進

寬恕由愛而起，是人間最動人的篇章。

二〇〇三年十月十一日志工早會

濟貧要用愛心，教富要用耐心。

二〇〇四年二月十三日志工早會

真誠的愛，是天下和平、亮麗的力量。

二〇〇四年八月廿九日文化交流團

有愛心，就能成為他人生命中的貴人。

二〇〇四年十月三日志工早會

將放生的心態轉為護生，才是真正的尊重生命。

二〇〇四年十二月七日志工早會

人間何處非家人，天下無處不道場。

二〇〇五年二月十日志工早會

天下一家親，平安時要互愛，災難來臨時要互助。

二〇〇五年九月十二日志工早會

只要有愛心，地獄也可以改造成天堂。

二〇〇五年十二月四日海外委員慈誠培訓研習

人醫，是守護生命的磐石；人師，是守護慧命的磐石。

二〇〇六年六月十六日志工早會

付出的愛有多寬，得到的愛就有多廣。

二〇〇七年二月廿五日實習醫師受袍

愛是致富的妙方。

二〇〇七年九月二日志工早會

大愛無貴賤，眾生皆平等，
不分他你我，心善即氣和。

二〇〇七年十二月廿九日晨語

大愛人間除苦難，慈悲濟世得歡喜。

二〇〇八年五月廿八日晨語

真正的歡喜，不在於擁有多少，
而是有愛。

二〇〇九年一月十五日志工早會

【第四篇】

永恆瑰寶

——談行善

人人發揮心中的愛，能凝聚善的福業，形成善的循環。

一九九六年三月十日全省環保志工研討會

每個人都有一念善心，只要被啓發，愛心就能被點燃。

一九九八年四月十二日全省委員聯誼會

鼓勵善行，在於喚起人人清淨的愛心。

一九九八年四月廿九日外賓訪談

關心別人就是關心自己，救助別人就是救助自己。

一九九八年十月十一日全省委員聯誼會

煩惱起於名利競爭，快樂來自及時行善。

一九九八年十一月十七日北區慈濟人聯誼

為善如汲井水，即使汲取再多，仍會不絕地湧出，怕的是不掘井。

一九九九年三月七日全省委員聯誼會

一心做好事，自然就有福。

一九九九年八月一日全省委員聯誼會

幸與不幸一念間，能付出是幸福，希望被幫助是辛苦。

一九九九年九月一日志工早會

無論路途坎坷或平坦，
都應感恩鋪路的人。

一九九九年十二月廿八日志工早會

布施，有形的救濟別人，
無形的幫助自己。

二〇〇〇年一月十六日中區歲末祝福

健康的人，要照顧不健康的人；平安的人，要照顧有災難的人。

二○○○年十一月十一日榮董聯誼會

行善是本分、付出無所求，不執著「善有善報」，自然輕安自在。

二○○一年二月三日外賓訪談

愛與感恩是善的循環。

二〇〇一年三月十八日志工早會

用心凝聚愛的力量，創造愛的循環。

二〇〇一年十一月二日委員慈誠精進佛二

多做一件善事，就放下一項煩惱。

二〇〇二年九月一日靜思生活營

愛心一啓發，行善有信心。

二〇〇二年十一月五日志工早會

行一分善，得一分福，就減一分災難。

二〇〇三年十二月廿八日北區授證暨歲末祝福

人間處處有溫情，菩薩無處不現身。

二〇〇四年七月十八日志工早會

樂於付出，心靈富足。

二〇〇四年十一月十九日志工早會

心善造福是福氣。

二〇〇五年十月十三日豐原聯絡處

發心、用心、集人人愛心；借力、用力、集人人大力。

二〇〇五年七月廿八日志工早會

善需大家做，力量才會強；福需大家造，福氣才會大。

二〇〇五年十月十六日與印尼慈濟人談話

心中有愛才有福，有付出才有所得。

二○○五年十月廿六日藥師法會

生一念好心，則結一分好緣；說一句好話，則多一分歡喜。

二○○六年二月八日晨語

啓發良知，才能發揮良能。

二〇〇六年十二月廿九日高雄歲末祝福

付出有所求，求不得，苦不堪言；若求得，歡喜也短暫。

二〇〇七年二月廿八日志工早會

為善要有自信，才能發揮不畏懼的堅定力量。

二〇〇七年三月二日晨語

發好心，就有正確的方向；立好願，就有付出的力量。

二〇〇七年十二月卅一日宜蘭歲末祝福

貧窮是一時，能啓發出愛心，才是永恆的富有。

二〇〇八年一月廿九日志工早會

心中有愛，就是富有人生；福緣共聚，就是美善人間。

二〇〇八年三月二日志工早會

好人多，福氣與善的力量就大。

二〇〇八年六月廿三日海外慈濟幹訓營

人人起一念善，造一分福，可以匯聚為福氣，消弭災殃。

二〇〇八年七月一日屏東慈濟人

一人一善，點滴付出，可以讓人人心地滋潤到愛的甘露。

二〇〇八年十月十四日志工早會

有志一同的人時時彼此鞭策、勉勵，才能照顧好自己一念善心。

二〇〇九年五月廿一日志工早會

【第五篇】

善順不逆

——談行孝

行善、行孝，不能等。

一九九三年三月廿七日幸福人生講座

大孝之心，即是大愛之心。

一九九四年八月十七日晨語

愛惜、培育子女是責任；
孝順、供養父母是本分。

一九九六年六月五日志工早會

報答父母恩，莫過於發揮良能，為人群
付出，即是大孝。

一九九七年一月廿一日高雄委員受證

家庭的幸福，從「孝」開始。

二〇〇〇年十二月廿八日北區歲末祝福

以善以愛傳家，是無上至寶。

二〇〇〇年十二月三十日北區歲末祝福

家庭是永久的學校，父母是終生的老師。

二〇〇二年七月廿三日教師聯誼會

孝敬父母，不僅物質奉養，還要服從、尊重，才是既「孝」且「順」。

二〇〇四年七月廿二日靜思語教學研習營

孝道走得通，善道才能毫釐不差。

二〇〇五年八月一日志工早會

真正的孝順，是立身而行道。

二〇〇六年八月四日志工早會

讓父母歡喜、安心，就是孝順。

二〇〇七年四月五日志工早會

【第六篇】

鐫琢足印

——談實踐

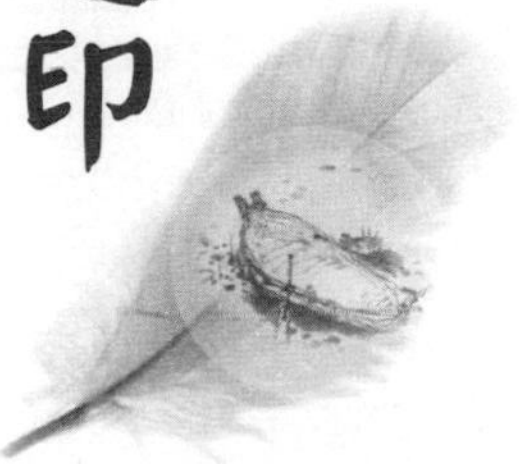

空過一天，不如實用一秒。

一九八八年十月二日晨語

事不做，才困難；路不走，才遙遠。

一九九二年一月廿六日委員受證

多做多得，少做多失。

一九九二年五月十六日志工早會

能精進向前走，努力做，就不遲。

一九九四年十一月二十日全省委員聯誼會

感恩過去，展望未來，把握現在。

一九九五年一月廿三日晨語

福不是用求的，是用做的。

一九九五年九月十七日全省委員聯誼會

人生要恆持當下這一刻，不要空談、妄想。

一九九七年二月三日新傳營

把握當下，恆持剎那。

一九九六年十二月十四日北區委員

虔誠地為人群服務，不要「加減做」，加加減減就不會進步。

一九九七年一月十五日北區歲末祝福

該做的事，要有毅力與勇氣，堅持到底不畏艱難。

一九九七年一月十七日委員受證暨歲末祝福

感恩要表於行動。

一九九七年六月十日北區委員

把握當下做得歡喜、心安，就能得到道理。

一九九八年三月十九日志工早會

心正、路正，走下去就不會偏差。

一九九八年八月八日慈誠精進佛二

要將困難當助力，不要當阻力。

一九九八年八月廿四日慈濟人文營

不要怕壓力，只要自問做得對與否。

一九九八年十二月廿九日海外慈青座談

道理不在於聽得多，而是能實踐。

一九九九年四月四日全省委員聯誼會

只有感動還不夠，一定要行動才能深刻體悟。

一九九九年五月十一日海外慈濟人

有多少時間，就要走多少路、做多少事。

一九九九年十月廿四日志工早會

有毅力、勇敢，坎坷的道路也能走到平坦。

一九九九年十月二十日志工早會

做才有心得；付出，才有力量。

一九九九年十一月廿七日中區慈誠聯誼

法不在深，而在能行。

一九九九年十二月十日臺北同仁座談

雙足能行萬里路，雙手能做天下事。

二〇〇〇年二月廿七日全省精進組研習

步步都要用心當下，若走一步、看一丈，腳步容易踏空。

二〇〇〇年十一月十八日高雄委員精進研習會

能清楚、篤定內心方向，就不會計較。

二〇〇〇年十二月廿五日海外慈青研習營

守住現在，就是守住未來。

二〇〇一年四月廿九日靜思生活營

該做的事，排除萬難也要完成；不該做的事，無論任何困難，也要堅持立場。

二〇〇〇年八月四日志工早會

健

健康康時，就做來「囤（積）」，不要做來「抵（消）」。

二〇〇〇年十一月廿六日志工早會

不

做事、不動手就事事困難，只要有心動手做，沙漠也會成綠洲。

二〇〇一年四月十三日志工早會

既定的方向是對的，就要大步向前邁進，做就對了。

二〇〇一年五月五日藥師法會

有辛苦的付出，才有美滿的結果成就。

二〇〇一年五月廿七日靜思生活營座談

小事不做，大事難成。

二〇〇二年七月十五日志工早會

不簡單的事能堅持，才是真本領；困難的事能突破，才是真耐心。

二〇〇二年七月廿四日志工早會

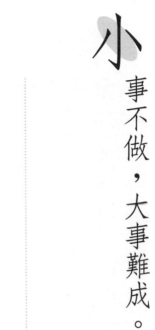

說做、想做，不如動手做。

二〇〇三年八月廿七日教師合心共識營

管理不是開口指揮他人，而是身體力行做好榜樣。

二〇〇三年十二月四日志工早會

知道，是知而行道；能「行道」才是真「知道」。

二〇〇五年八月廿九日志工早會

想得通，才做得到；做得到，才能引導他人。

二〇〇五年十一月廿八日晨語

聽，不如行；說，不如做。

二〇〇六年七月廿二日泰國董事會

親身體驗，見苦才能知福。

二〇〇六年七月三十日志工早會

歷史是時間的累積，
把握時間就能創造歷史。

二〇〇七年二月十四日海外慈濟人會報

道字下有分「寸」，
才能「導」人向善就理。

二〇〇七年七月八日志工早會

慈悲不只用口說，而是要身體力行，走入人群付出。

二〇〇八年十月一日志工早會

生命的樂趣是親身付出，發揮生命的價值。

二〇〇八年十月三日海外尋根研習

尋找生命的答案，在於身體力行的體悟。

二〇〇九年四月一日志工早會

【第七篇】

圓融無礙

——談福慧

若不知人生是苦，智慧就無法開啓。

一九九五年四月四日臺北組長座談

懂得惜福，就會造福；真正造福的人，才是真富有。

一九九六年一月廿二日北區歲末祝福

不執著，才能得智慧。

一九九六年十二月四日志工早會

有福，應知福、知足。

一九九八年七月三日志工早會

付出愛心予人群，對己就是造福業、得福果。

一九九八年十二月六日全省委員聯誼會

人生苦，要苦得有價值，不離菩薩心，不離教化眾生。

一九九九年四月廿三日高雄委員慈誠聯誼

有愛心就有福氣、毅力，才有智慧。

一九九九年六月六日全省委員聯誼會

智慧與煩惱如天平——煩惱多一點，智慧就少一點；煩惱少一點，就增一分智慧。

一九九九年八月廿八日慈誠精進佛二

生命健康需要活動，慧命健康需靠精進。

一九九九年十一月十六日志工早會

人能造業，也能造福；造業是迷信，造福是正信。

二〇〇〇年十一月十四日志工早會

教富，是啓發智慧；濟貧，是造福人群，也就是福慧雙修。

二〇〇〇年十二月廿九日北區歲末祝福

自愛是報恩，付出是感恩。

二〇〇一年五月五日志工早會

擁有，有「擁有」的煩惱；
無，有「無」的解脫。

二〇〇一年五月廿七日靜思生活營

煩惱不除，慧不生；
不造福，則福不生。

二〇〇二年二月廿五日與外賓座談

懂得惜緣的人，能與人結好緣；懂得惜福的人，能積極再造福。

二〇〇二年三月廿三日晨語

真正的福德，是以平常心守本分、勤付出。

二〇〇二年四月五日晨語

真正的「福」，是造福人間。

二〇〇二年六月一日與會眾談話

自求多福，就是身體力行多造福，才能多福氣。

二〇〇二年十月廿五日志工早會

福從做中得歡喜，慧從善解得自在。

二〇〇三年一月卅一日志工早會

要週「修」，不要週「休」；要福慧雙「修」，不要福慧雙「休」。

二〇〇三年三月五日彰化慈濟人聯誼

從知福中培養感恩，從惜福中培養關懷，從造福中培養智慧。

二〇〇四年十月十三日志工早會

享福的同時，要撒下福的種子，方能生生不息。

二〇〇五年三月十日志工早會

沒有受災就是福，能投入做幫助人的人，就是「福中福」。

二〇〇五年八月十一日屏東分會

凡事要腳踏實地，用生命落實慧命。

二〇〇五年十一月十四日與同仁談話

知識，只是曉了所學；智慧，則能理通無礙。

二〇〇六年八月十日志工早會

智慧讓愛不變質、不染著。

二〇〇六年九月五日志工早會

智慧，是心寬念純、海闊天空，用愛擁抱大地蒼生。

二〇〇七年一月八日臺中歲末祝福

善念時時生，慧命日日增。

二〇〇七年五月卅一日周年靜態展

樂善好施得福報，知足善解得智慧。

二〇〇八年二月一日晨語

造福者，時時平安；修慧者，日日心寬。

二〇〇八年二月十三日志工早會

祝福別人，就是造福自己。

二〇〇八年二月十九日志工早會

以智慧行慈悲路，才不會差之毫釐，失之千里。

二〇〇八年七月卅一日晨語

有知識未必有智慧，
有智慧的人能利益人群。

二〇〇八年十一月十三日中區環保志工聯誼

要人祝福，不如自己付出造福，
如此愛與福都有餘。

二〇〇九年二月三日同仁新春團拜

【第八篇】

自覺覺他

——談學佛

愛心不分遠近，慈悲沒有敵對和親愛。

一九九二年十一月十八日藥師法會

學佛不要怕磨，污染磨盡，佛性自然現前。

一九九六年三月七日志工早會

真正的法喜，是做了之後的歡喜。

一九九六年九月十二日北區委員聯誼會

沒有苦，就無法體悟樂的真諦，重要的是如何轉苦為樂。

一九九六年十一月九日大體捐贈關懷小組

給人安定、幸福，是大慈心的作用；
用心救拔、度化，是大悲心的發揮。

一九九七年二月廿四日靜思精舍

慈悲心要如天地寬、日月明。

一九九七年三月廿七日晨語

佛法就是奉獻無所求，
輕安自在是學佛最高境界。

一九九七年十二月七日北區慈誠培訓

慈悲要從內心啓發，
造福要用身體行動。

一九九七年十月十九日晨語

有慈悲心，就是佛心；有愛心、毅力，投入人群付出，是菩薩心也是菩薩行。

一九九七年十二月六日人文志業同仁

以為自己最好或不如人，都是內心的障礙；能去我執，才能輕安自在。

一九九八年九月廿四日環保志工聯誼會

學佛，要學「明白道理、把握人生、身體力行」。

一九九八年十一月八日全省委員聯誼會

以「慈悲」為原點，用「喜捨」為推動力向前進步。

一九九九年四月廿四日高雄培訓委員慈誠

處順境用「無常觀」，
處逆境用「因緣觀」。

一九九九年十月十四日關懷組委員座談

對每件事、每個人都感恩，
就能化貪心為慈悲心。

一九九九年十二月廿九日志工早會

所謂「覺悟」，是懂得什麼是人生，該做什麼事。

二〇〇〇年一月廿七日志工早會

征服百岳山，不如征服無明關。

二〇〇〇年五月三十日志工早會

以佛法做人間事，在人間修佛法行。

二〇〇一年五月十六日藥師法會

光明無染污的覺悟，都是要從凡夫地發心立願修行而得。

二〇〇一年七月廿二日晨語

懺悔就是洗心，如清泉流過心田，洗淨染污的心地。

二〇〇一年十月一日志工早會

持心端正，佛心生起，心魔自破。

二〇〇一年十一月廿二日高雄委員慈誡

開啓心胸，才能發揮無量的慈悲，獲致真正的智慧與功德。

二〇〇二年九月八日中壢園區

在生活中體認佛法，在人群中體會世間法。

二〇〇二年九月廿七日北區培訓委員研習

做人間菩薩，必須先做好個人的修養。

二○○三年八月廿九日志工早會

經」不只是口唸，而是用雙手做、雙腳走，為世間疾苦付出。

二○○三年九月廿三日志工早會

愛人自愛、自愛愛人，
就是佛心、菩薩心。

二〇〇三年十二月三十日臺中授證暨歲末祝福

凡夫是「命運」隨業轉，
覺悟的人則能「運命」。

二〇〇五年七月九日志工早會

祈求菩薩保佑，不如反求自心。

二〇〇七年二月五日北區歲末祝福

寸寸感恩心，步步覺有情；覺有情，就是無私的愛。

二〇〇七年二月十七日志工早會

心中有佛，行中有法，法中有禪。

二○○七年八月十五日兩岸慈中師生人文營

以大慈悲心實踐大愛，以大智慧力超越煩惱。

二○○八年一月廿六日晨語

無悔無怨，見證慈悲；無憂無求，體證喜捨。

二〇〇九年三月十八日志工早會

感恩是智慧，付出是慈悲。

二〇〇九年四月十九日藥師法會

素食可培養耐力、慈悲與智慧。

二〇〇九年四月廿八日志工早會

【第九篇】

歸向真如

——談心性

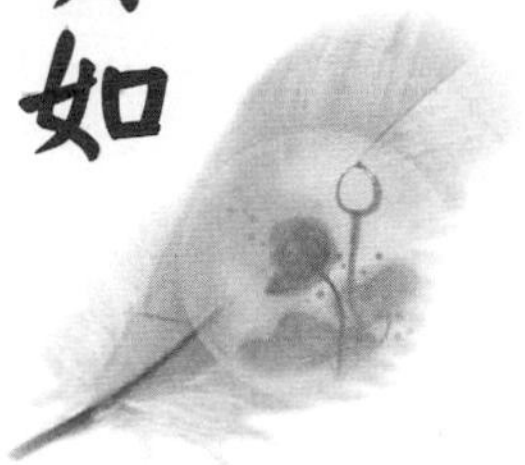

寬心、包容，是快樂的泉源。

一九九四年四月十日北區醫療志工

心若照顧得好，人生就快樂；反之，則苦難偏多。

一九九六年五月廿五日晨語

甘願做，歡喜受。

一九九五年一月廿二日全省委員聯誼會

生者心安，亡者才能靈安。

一九九五年三月四日臺北委員

能用心，道理就在眼前；不用心，真理遠在天邊。

一九九七年三月五日晨語

心念難免起伏，要有毅力降伏，讓心在輕安、清淨的境界。

一九九七年五月卅一日晨語

樂觀與悲觀是一體，只要心念一轉，也能將悲觀轉成樂觀。

一九九七年十二月九日外賓訪談

不要讓外境影響內心，要發揮毅力用心轉境。

一九九八年二月十五日晨語

找路不如找心，問路不如問心。

一九九八年八月廿一日南區委員慈誠共修

用心，才能明心見性。

一九九九年十月十二日北區委員慈誠

身體可以累，心靈不要累；因為心靈是慧命的泉源。

一九九九年十月廿四日志工早會

身體有病不可怕，可怕的是心有病；物質缺乏不可怕，可怕的是心靈貧窮。

二〇〇〇年一月五日志工早會

屋寬不如心寬。

二〇〇〇年一月七日臺東歲末祝福

天災出自人禍，人禍源自人心。

二〇〇〇年十一月十二日全省委員聯誼會

信心是生命的泉源。

二〇〇一年十一月九日晨語

心病需要心藥醫，最好的心藥是專心、去除雜念。

二〇〇一年十一月三十日晨語

心歡喜，則樂觀；心埋怨，則生憎恨。

二〇〇二年三月一日志工早會

心能知足，不會彼此懷疑；心存感恩，則能以愛相待。

二〇〇二年五月十一日與海外慈濟人談話

開朗、樂觀，是預防心靈病毒的良方。

二〇〇三年五月二日志工早會

簡單，才真正有福；單純，才真正快樂。

二〇〇四年三月十日志工早會

心靈健康三要：樂觀、善解、有愛。

二〇〇四年四月廿一日志工早會

不想「做不到」的事，不煩惱「不能做」的事。

二〇〇四年六月二十日海外慈濟幹部

無欲無求、少煩少惱，就容易開啓心門擁有智慧。

二〇〇四年八月五日協力組隊精進

境界來時要惜緣，去時要自在，讓心不受煩惱所困。

二〇〇四年八月五日中區委員慈誠

預防心靈災難，需要教育，培養出耐磨、抗壓的健康心靈。

二〇〇四年八月廿一日志工早會

時時清除心中陰影，才能明朗人間事。

二〇〇五年七月三日志工早會

心生懊惱，會囤積煩惱；
心甘情願，則能歡喜付出。

二〇〇五年七月十一日靜思精舍

掃除心靈陰霾，則能顯現亮麗本性。

二〇〇五年七月十二日志工早會

對無緣的人，不起排斥、惱恨心；對有緣的人，不起貪著、執愛心。

二〇〇五年十一月四日晨語

放下執著，則和氣無處不在。

二〇〇六年六月一日與會眾談話

有正念而無欲念，是最好的養生之道。

二〇〇六年六月十八日海外培訓委員

所謂「難過」，並非時間漫長難度，而是心念卡住過不去。

二〇〇六年六月七日海外慈濟人談話

心靈的欲念，是引發人生最痛苦的因。

二〇〇六年六月十八日培訓慈濟委員

心寬就是善，念純就是美。

二〇〇六年六月廿四日志工早會

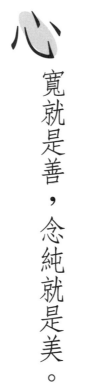

身體殘缺不可怕，可怕的是心靈殘缺。

二〇〇六年七月六日志工早會

心靈環保，在於看得開、放得下。

二〇〇七年四月廿二日志工早會

心平，路就平；心寬，路就寬。

二〇〇七年九月五日藥師法會

要做心地農夫，自我耕心田，也在人人心中耕福田。

二〇〇八年一月四日北區歲末祝福

只要自心有力量，就可以挑起使命，不怕外來的壓力。

二〇〇八年二月廿三日志工早會

只要甘願、樂觀，人生沒有過不去的苦。

二〇〇八年九月六日志工早會

原諒或怨恨，只是一念心；心念一轉，能包容一切。

二〇〇八年十月七日晨語

內觀自性是最美的風光。

二〇〇九年四月廿五日志工早會

【第十篇】

德備品端

——談人格

人格昇華，需有成人之美、包容之德。

一九九一年十二月七日中區聯誼會

做人不要爭「一口氣」，而是多「一點志」。

一九九一年十二月七日中區聯誼會

理想必須堅持，道德勇氣需以毅力向前行，不能停滯。

一九九五年二月廿六日外賓訪談

能昇華人格的，不是威權，而是愛心的關懷。

一九九六年一月廿七日高雄慈誠歲末祝福

付出之後心有所得，表現於外就是「德」。

一九九六年九月三日懿德母姊研習營

不因他人辱罵而生氣，受人誇讚而高興，叫做「平常心」。

一九九六年十二月五日晨語

反觀自己，就是要做得讓人相信。

一九九七年五月三日靜思生活營

肯立志，就會向上精進；不肯立志，就是向下墮落。

一九九七年五月十日北區慈誠

理想要高遠宏觀，腳步要落實當下。

一九九八年五月四日高雄委員慈誠

建立人格的第一步是「信」。

一九九八年十一月廿九日北區培訓慈誠尋根之旅

外在的形象，可顯現內在的品行。

一九九八年十二月九日懿德母姊會

人生的學問無論多高，最重要的是不忘本，能照顧好自己的品格。

一九九八年十二月廿七日頒發獎學金

人只有感恩的本分，沒有埋怨的權利。

一九九九年六月廿六日高雄委員精進研習

要自己快樂，先讓別人快樂；要自己成功，先看別人成功。

一九九九年七月廿一日晨語

發心立願，是製造人生幸福的原動力。

一九九九年九月一日志工早會

真正受人尊敬的是節與志；做人有章節，不要貪求無厭。

二〇〇〇年四月五日志工早會

持戒守規是最可貴的德行。

二〇〇〇年十二月廿五日晨語

懂得生活禮儀，就懂得愛自己；自愛的人，才會愛人。

二〇〇一年五月五日慈誠懿德培訓

發大心、立大願，身體力行親身體悟，德才能顯現。

二〇〇一年七月廿二日晨語

人緣是付出的結果，得到他人的歡喜、信任和佩服。

二〇〇一年七月三十日晨語

內心常存仁德，至誠待人，自然得人心。

二〇〇一年七月三十日晨語

因貪念而侵奪他人，實則傷害自己的人格。

二〇〇二年一月三日晨語

能放下身段，才有偉大的人格。

二〇〇二年二月十七日志工早會

道德是本分事，禮儀是做人的規則。

二〇〇三年一月三日北區授證暨歲末祝福

物資生活要往下比，人格品德向上提升。

二〇〇四年四月五日大愛臺同仁座談

人文是生命的結晶，人格的昇華，也是慧命的成長。

二〇〇四年十一月廿一日慈悲隊喜捨組培訓

人性之富，富在有德；品行之貴，貴在重孝。

二〇〇五年七月廿四日志工早會

守誠行正，立信篤實。

二〇〇五年九月十一日志工早會

人之美，在於德；
展現於做好事、說好話、發好心。

二〇〇六年九月三日志工早會

有禮的人，人見人歡喜；
講理的人，人見人尊敬。

二〇〇七年七月廿二日志工早會

倫理道德是人類的希望，也是幸福的基礎。

二〇〇七年七月廿二日志工早會

禮者理也，先知禮，才能識理、懂理。

二〇〇七年九月廿八日志工早會

行善要誠，處事要正，做人有信，待人要實。

二〇〇八年五月廿三日志工早會

物質可以貧，但是心靈、志氣不能貧。

二〇〇九年三月四日志工早會

知足少欲藏大富，任勞不悔大願力。

二〇〇九年三月十五日志工早會

禮儀，是在舉手投足的方寸中。

二〇〇九年五月十二日志工早會

【第十一篇】

滌心淨澄

——談清淨

改變自己、淨化自己，才能改變別人、淨化別人。

一九九六年一月廿二日北區歲末祝福

世界需要和平，社會需要祥和，人心需要和氣。

一九九六年七月一日晨語

信己無私，信人人有愛。

一九九七年十月十八日靜思生活營

人人起一念清淨心，合力能化穢土為淨土。

二〇〇九年五月十八日志工早會

人心自危，是動盪的根源；人人安心，社會才能安定。

二〇〇〇年十一月廿四日志工早會

談「利」要談天下利；說「愛」要說眾生愛。

二〇〇〇年十二月廿九日北區歲末祝福

社會亂象，源於人心不知足。

二〇〇一年一月三十日志工早會

要淨化人心，應先點亮自己的心燈，再做提燈照路人。

二〇〇一年二月五日教師培訓

淨化人心，需用愛心付出、用智慧輔導、用耐心陪伴。

二〇〇一年六月四日高雄慈誠聯誼

一味地想改變別人，不自我修正，會造成心靈失調。

二〇〇一年六月三十日志工早會

將心照顧好，社會祥和；把心安住好，人間有福。

二〇〇一年七月卅一日志工早會

懺悔即清淨，發願即有福。

二〇〇三年一月三日北區授證暨歲末祝福

清淨的生活，從齋戒開始。

二〇〇三年六月一日志工早會

用善解過濾是非，讓濁流化成清流。

二〇〇四年五月九日合心和氣功能組研習

捨一分煩惱，能得一分清淨；
捨一分財物，即得一分輕安。

二〇〇六年三月八日晨語

預防天災的最好方法，就是淨化人心。

二〇〇七年一月十三日志工早會

保持清淨的心，不貪婪，心平靜，人則安。

二〇〇九年一月五日豐原歲末祝福

真誠地表達無私的愛，可以淨化一切。

二〇〇九年二月十八日藥師法會

【第十二篇】

守志循軌

——談行止

人生不怕錯，只怕不改過。

一九九〇年八月五日花蓮精進共修

凡夫難免有缺點，若能勇於改過，必得完美的人生。

一九九四年一月廿三日晨語

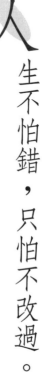

改除習氣，不與人計較聲色，要和自己計較是否精進。

一九九四年七月十九日委員佛一

小事善解，大事包容。

一九九五年一月三日海外慈青

以天地為教室，每個人、每件事，都是教科書與學習的對象。

一九九五年三月五日北區教聯會

多一個好習慣，就少一個壞習慣。

一九九五年八月二日懿德會

要鏡中人笑，照鏡的人要先笑。

一九九五年九月十三日懿德會

教而學，學而做，做才說。

一九九五年十二月九日海外教師研習營

盡本分，得本事。

一九九六年九月十二日北區委員聯誼會

縮小自己，則海闊天空；擴大自己，則無路可走。

一九九六年九月廿三日花蓮本會同仁

無所求，則安。

一九九六年十一月九日培訓委員皈依

心中有清流，行中有和風。

一九九六年十二月廿二日同仁尋根之旅

常保自我警惕的心，懂得如何做對的事，人生就不會後悔。

一九九八年六月十六日志工早會

雙手做好事是利益人群，做錯事是害人不利己。

一九九九年六月廿六日臺北環保志工參訪

微笑是最祥和的語言。

二〇〇二年八月九日文化交流團行前叮嚀

齋是素食，戒是規矩；珍惜自我生命，更要尊重萬物生靈。

二〇〇三年六月一日志工早會

無論處於任何領域，堅守崗位、向前精進，才能成功。

二〇〇三年六月八日志工早會

善盡自我本分，是持戒；毫不保留地付出力量，是布施。

二〇〇三年六月八日志工早會

真正的美，在於身形端莊、氣質優雅。

二〇〇四年十一月四日志工早會

戒慎不恐懼，要戒慎虔誠。

二〇〇四年十二月三十日北區歲末祝福

勇於承擔，才有改變的機會。

二〇〇五年七月八日志工早會

執著與把握不同——執著是為己而爭，把握則是當下付出。

二〇〇五年十月十日志工早會

心誠、行正，就能受人肯定信任。

二〇〇五年十二月十七日中區授證暨歲末祝福

心力若正，毅力就無窮盡。

二〇〇八年五月八日志工早會

生命的字典，不要有「難」字；面對困難，要堅定信心努力克服。

二〇〇八年九月九日晨語

真誠的微笑與祝福，是安定人心的大力量。

二〇〇九年二月十三日志工早會

行正道、走正門，以外在行動表現內心正念。

二〇〇九年二月廿七日高雄慈濟人座談

若能心正、念不偏，有定力堅守崗位，則事無不成。

二〇〇九年三月二日志工早會

【第十三篇】

紅塵自在

——談處世

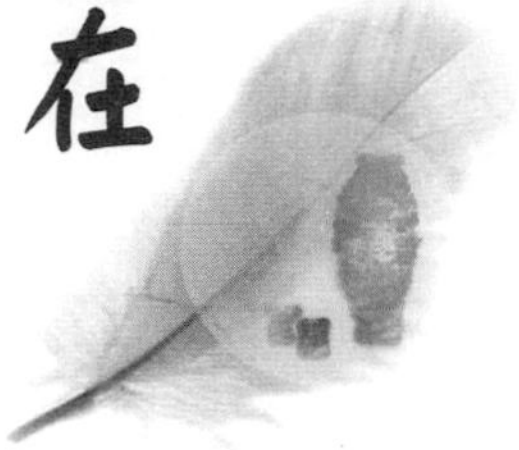

造福人群，就是富有自己。

一九九四年三月三十日會員參訪

人生縱遇坎坷也要向前走，才會接近目標。

一九九六年八月廿五日志工早會

只要有信心，沒有做不好的事；
只要肯忍耐，沒有擔不起的重任。

一九九六年十二月七日靜思生活營

夫妻之間要比誰愛誰，不要比誰怕誰。

一九九七年三月廿三日教師聯誼會

想快樂生活，需先學做人；學做人，應先懂得如何愛人。

一九九八年六月十六日志工早會

時間用過以後有成果，即「夠用」；用很多時間卻無所得，即「不夠用」。

一九九八年十一月一日同仁營隊

歡喜就不怕艱難；
有感恩的心，才能凝聚力量。

一九九九年十一月七日集集大愛村啓用

一時的災難，不是一世的落難；
提起信心，就能發揮志氣與良能。

一九九九年十月廿二日南區培訓委員慈誠

若要明日平安，就要將今日做好。

二〇〇〇年二月十日同仁新春團拜

見人有錯，要「尊重的提醒」；受人指正，應「感恩的接受」。

二〇〇〇年三月四日晨語

驚世的災難，要有警世的覺悟。

二〇〇一年十月六日同仁人文營

面對扭曲或責難，要有化雜音為零的功力。

二〇〇一年七月一日捐髓小組會議

知足、感恩，植福因；
善解、包容，消舊業。

二〇〇一年九月十四日志工早會

要為善合心，不要為善競爭。

二〇〇一年九月廿二日志工早會

生死不可怕，怕的是對世事看不開，對己放不下。

一九九五年六月廿九日高雄分會

生死大事，能看得開、想得通，就能安然自在。

一九九七年十月十九日大體捐贈關懷小組研討會

人間路坎坷難行，只要甘願付出，心常歡喜，則不以為苦。

二〇〇八年八月八日晨語

遊戲人間，煩惱要放下，做事要用心。

二〇〇二年八月三日慈濟大專青年聯誼會

做人要放下身段、縮小自己，如微塵無處不在，發揮奈米般的良能。

二〇〇四年六月廿一日海外幹部研習營

人和無是非，包容則圓融。

二〇〇五年三月十七日臺北慈院志工座談

把握時間，珍惜空間；
人與人之間要感恩、尊重、愛。

二〇〇五年七月七日大專心靈成長營

人心和，氣就和，大地也會平安。

二〇〇六年五月廿八日草屯聯絡處

自卑是自己最大的殺手與敵人。

二〇〇六年六月廿九日志工早會

對己知足，對人無爭，人與人之間以善念、善行互動，自然平安自在。

二〇〇六年九月十八日志工早會

聽話要仔細，說話要小心。

二〇〇六年九月十二日與海外慈濟人座談

每個人都是道場，每個人生都是一部經藏；為人群付出，就會增長智慧。

二〇〇六年十一月廿一日志工早會

有愛則人和；人和就平安。

二〇〇七年一月廿一日志工早會

與人相處要合群，但不要隨波逐流。

二〇〇七年九月十三日志工早會

心和萬事興。

二〇〇八年一月三十日志工早會

知足善解常自在，不因是非起煩惱。

二〇〇八年二月一日晨語

知足的人，不會貧乏。

二〇〇八年二月十三日志工早會

貪欲縮小到零點，愛心擴大遍虛空。

二〇〇八年五月十五日川緬賑災會議

愛惜生命是本分，尊重互愛是福分。

二〇〇八年六月十日志工早會

感恩，是世間最美的語言，也是人與人之間最真誠的對待。

二〇〇八年八月十日志工早會

與

與人結好緣，句句話都是法；
與人結惡緣，句句話成是非。

二〇〇八年十月十五日晨語

用

菩薩的智慧，看待家人；
用父母的包容，關懷天下人。

二〇〇九年一月十八日志工早會

心寬，不傷人；念純，不傷己。

二〇〇九年二月十八日北區委員慈誠座談

心念無私天地寬，與人相處互為信。

二〇〇九年三月五日志工早會

誠正大愛無敵對，信實良知有感恩，
慈悲心境寬包容，喜捨無私念純真。

二〇〇九年三月十日志工早會

教之以禮，育之以德；
傳之以道，導之以正。

二〇〇九年四月十日志工早會

【第十四篇】

法水入心

——談修行

業力不可轉，但是緣可造，應廣結善緣。

一九九三年九月廿四日晨語

祈禱，是歸向、反觀本性，以顯清明自性。

一九九三年十二月廿五日外賓訪談

充滿愛的付出而沒煩惱、很灑脫，是修行的目標。

一九九六年六月六日志工早會

不真不實而相信，是迷信；人云亦云，是無知。

一九九六年十一月十日北區幹部

修行並非比賽，而是練就自己的耐力、定力與寬廣的心。

一九九七年一月一日晨語

修行不只有耐力，還要耐怨，才會圓滿人格。

一九九七年四月廿五日志工早會

街頭巷尾是道場，好修行。

一九九八年三月四日北區環保志工

善緣、惡緣，都在語默動靜中；好話讓人心開意解，壞話讓人心起煩惱。

一九九八年十一月四日晨語

無爭，並非事事不理，而是與人合心、和氣、互愛、協力。

二〇〇一年一月廿二日靜思精舍

能開啓智慧、美化生活，都是善法。

二〇〇一年二月四日教師培訓佛一

做中學，學中覺，覺中做。

二〇〇一年六月廿七日志工早會

從沒有雜念、惡意，培養善念，還要進一步——不執著。

二〇〇一年十一月六日晨語

合心為善，和氣同道，互愛扶持，協力推動。

二〇〇二年一月廿二日中區委員慈誠受證

分秒不空過，步步踏實過；善念不間斷，好事日日做；妙法時時用，法喜多分享。

二〇〇二年五月十三日全球慈濟人精進佛一

慈悲需是非分明；
道德需有毅力、勇氣。

二〇〇三年八月廿七日志工早會

忍而無忍」是真修行；
「忍無可忍」而以牙還牙是凡夫。

二〇〇三年九月四日中區委員慈誠會議

過年是「減一歲」，必須把握時間精進。

二〇〇四年一月卅一日全省合心組隊研習

守持正法，就沒有擔憂、惶恐。

二〇〇四年五月廿八日北區委員慈誠精進

修行無他法，在於多用心。

二〇〇六年一月廿二日晨語

能將「辛苦」視如「幸福」，就能甘願而不會累倒。

二〇〇六年九月廿七日志工早會

對己，修正行為；對外，付出良能。

二〇〇七年三月十八日志工早會

用法度己，智慧成長；再度他人，就是「回自向他」。

二〇〇八年四月四日中區慈濟人座談

能接受法，成長慧命；獲得迴響，就是「回因向果」。

二〇〇八年四月四日中區慈濟人座談

法入心，才「有法度」，自度再度人。

二〇〇九年二月十七日北區和氣組隊座談

以

以「念純」自修——心念單純能自愛；
以「心寬」待人——廣結善緣心寬闊。

二〇〇九年三月一日屏東感恩時刻

【第十五篇】

會理利他

——談助人

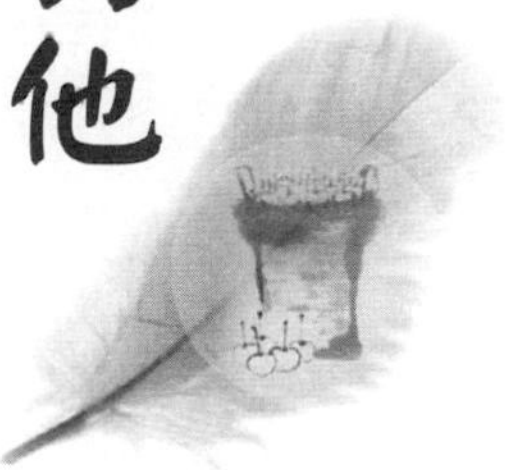

能付出的人生，最快樂也最踏實。

一九九四年二月廿七日全省聯誼會

奉獻付出後的心靈享受，就是淨土。

一九九六年四月廿七日同仁朝山

付出不在多少，他人能受用，就是最大的愛。

一九九六年七月二日晨語

隨分隨力，涓滴愛心可累積成就大業。

一九九七年三月十日委員慈誠培訓

做值得付出的事，有歡喜心，就是法喜。

一九九七年十一月九日培訓委員慈誠

踏實的人生，在於付出愛心、有成就感，而歡喜自在。

一九九七年十二月廿八日志工早會

助人的同時，也是淨化自己。

一九九八年四月廿九日外賓訪談

懂得運用時間利益人群，就是幸福。

一九九八年十二月廿九日海外慈青受證

以虔誠的心為人群付出、盡一分力量，功德就很大。

一九九九年三月七日全省委員聯誼會

人生本應互助，以大愛付出，能感恩接受，都是力量。

一九九九年七月九日志工早會

付出一分功能，就有一分慧命成長。

一九九九年十月廿四日志工早會

有心要付出，就有無限的能力。

一九九九年十月廿六日外賓訪談

人人付出一分愛，能轉危機為生機，轉禍為福。

一九九九年十二月廿三日志工早會

志工」是將真誠的愛，當作生命的一部分，並身體力行的人。

二〇〇一年二月十日醫事青年成長營

付出無所求，是最大的成就。

二〇〇二年十二月三日志工早會

笑容、柔軟、體貼、付出，是愛的表達。

二〇〇三年一月三日北區歲末祝福

好人愈多，苦難的人會愈少。

二〇〇三年四月廿一日與同仁談話

助人不僅是美德，也是心靈一大享受。

二〇〇三年十月十四日志工早會

能先付出愛心，就能得無數人的愛。

二〇〇四年一月十七日志工早會

世間苦難，能啓動人的愛心；只要有一分付出，就會有一分感動。

二〇〇四年二月十三日志工早會

真誠的愛最動人，無私付出最可貴。

二〇〇四年三月十三日志工早會

有苦的人走不過來，有福的人就要走過去。

二〇〇四年三月十七日志工早會

有力量幫助他人，是自己的福。

二〇〇四年六月十八日志工早會

利用時間體會人生，融會道理，不但能成就自己也能幫助他人。

二〇〇四年十月十九日同仁人文營

尊重生命，需把握時間利益人群。

二〇〇六年三月六日志工早會

【第十六篇】

一線之隔

——談善惡

向正路走、做好事，是最懇切的虔誠。

一九九六年三月二十日慈誠共修

凡事不知足，就會不滿意；不滿意，就會有遺憾。

一九九六年七月四日晨語

貪求享受的人生，是一片空白。

一九九八年八月廿六日志工早會

嫉妒心是無形的利器，傷人又不利己。

一九九八年七月廿八日晨語

怨憎，是醜化自己的人生。

一九九八年七月廿八日晨語

權勢如繩索，捆綁身心，不得自在。

二〇〇〇年九月十一日晨語

惡習應及時戒除；
忍一時辛苦，能得一世幸福。

二〇〇〇年十一月十二日靜思生活營

凡事善解，才能化瞋怒為柔和。

二〇〇〇年十二月二十日晨語

為自己找藉口，就不會進步。

二〇〇〇年十二月三十日北區歲末祝福

善念生，就會善解；惡念消，就不會作惡，則災難自然遠離。

二〇〇二年六月二十日與大愛臺同仁座談

天災無法抗拒，善念卻能消弭災難。

二〇〇二年九月六日委員慈誠

善念是無限的財富。

二〇〇三年九月廿六日慈誠懿德會

一念貪，會造成苦的果。

二〇〇三年十二月廿九日臺中授證暨歲末祝福

人心貪婪不息，天災人禍不止。

二〇〇四年一月十二日志工早會

力量用對方向，就是亮麗的人生；用錯方向，則步步都是陷阱。

二〇〇四年五月廿四日志工早會

結合人人的善，是真正的大善；有大善的力量，才能風調雨順人人平安。

二〇〇六年五月廿一日麻豆環保站

對的事，認真投入；
遠離不對的事，就能轉苦為福。

二〇〇六年九月九日志工早會

一念錯，則步步皆錯；
一念善，則事事造福。

二〇〇六年十一月十日志工早會

行善者得快樂，造惡者受苦難。

二〇〇七年九月三日志工早會

覺者，把握剎那為永恆；迷者，虛度光陰後悔遲。

二〇〇八年二月九日晨語

能順天理，就有福；逆道而行，平安難求。

二〇〇八年四月十四日志工早會

為善者，讓人感恩；為惡者，令人煩惱。

二〇〇九年二月十三日志工早會

當下的心念——好的，應精進；不好的，應去除。

二〇〇九年四月廿七日志工早會

【第十七篇】

疼惜大地

——談環保

保護大地，需從建設人心開始。

一九九六年九月十一日北區委員聯誼會

山林有生機，人才能安居。

一九九六年八月廿三日志工早會

你丟我撿——丟者消福；撿者拾福。

一九九七年一月十三日北區歲末祝福

真正的環保，是愛山、愛海，愛惜一切萬物。

一九九七年二月廿三日全省聯誼會

心要清淨，做好內外環保——愛惜地球資源，照顧人生資源。

一九九七年十月二日高雄環保志工

能放下身段，彎下腰做資源回收，是真正的去我相、滅我執。

一九九七年十月五日中區環保志工

資源回收的目的，在於提倡與教育人人懂得惜福。

一九九七年十二月十四日環保志工尋根

疼愛大地，就是疼愛眾生。

二〇〇〇年十二月四日中區歲末祝福

合於自然法則，萬物才能相安無事，相生相成。

二〇〇二年二月十九日與志業主管座談

垃圾變黃金，黃金變愛心，愛心化清流，清流繞全球。

二〇〇二年四月十一日南區環保志工聯誼

希望大地資源不短缺，
必須從懂得珍惜開始。

二〇〇二年六月廿二日志工早會

做環保的手，是最美的手。

二〇〇三年十一月三十日中區授證暨歲末祝福

要救世，就要做環保——心靈環保、社會環保、地球環保。

二〇〇七年二月十六日志工早會

人人要疼惜自己，也要疼惜大地。

二〇〇七年三月五日志工早會

人依止在大地之上，為地球盡一分心，是本分事也是使命。

二〇〇七年三月十日志工早會

可用的物資，都是值得珍惜的寶。

二〇〇七年七月八日志工早會

素食可讓身心健康，又能保護地球。

二〇〇七年二月廿二日志工早會

要碳平衡，必須先心平衡。

二〇〇七年三月廿六日志工早會

做環保，除了淨山、淨海、淨大地之外，也要淨心田。

二〇〇七年四月廿三日志工早會

疼惜大地，要從人人的足下起步。

二〇〇七年五月四日志工早會

人

人心中湧現淨水，
才能拯救發燒的地球。

二〇〇七年六月三十日志工早會

不

只愛人，還要愛地球；
土地平安，人才能平安。

二〇〇七年八月九日志工早會

克己，則能減少碳足跡。

二〇〇八年一月廿六日花蓮歲末祝福

內在的心靈環保先落實生根，就能做到深度的外在環保。

二〇〇九年二月十一日志工早會

造福人間、庇護地球，都需從自己做起。

二〇〇九年二月十六日志工早會

【第十八篇】

清淡平實

——談生活

生活若簡樸，人生就幸福。

一九九六年十一月九日培訓委員皈依

人心平淡，才有平安的福。

一九九八年三月七日志工早會

只要有信心與愛心，每天都是健康與平安。

一九九九年十二月廿七日志工早會

知足則有福，不知足則招禍。

二〇〇三年八月廿五日晨語

人若不知福、不懂得感恩，只是多消福。

二〇〇三年十一月廿九日中區授證暨歲末祝福

天天苦惱不夠、不足，是富有的窮人。

二〇〇四年九月廿九日國際慈濟人醫會

如果人人能節省、惜福，貧窮就不存在。

二〇〇五年十二月十三日環保志工

身勤則富，少欲不貧。

二〇〇六年一月八日志工早會

克己則安，放縱則危。

二〇〇七年四月十三日志工早會

懂得克勤，就不會墮落；懂得克儉，就是有福人生。

二〇〇八年一月二日第十三屆慈青薪傳營

簡樸的人生是美德。

二〇〇八年三月十六日志工早會

凡事因貪而貧，去貪就簡，克己勤儉即能興家。

二〇〇八年十月十七日志工早會

能過清淡生活，最知足；有餘力幫助他人，最富有。

二〇〇八年十月廿一日志工早會

金融風暴不可怕，可怕的是心靈風暴；景氣不好不必驚慌，怕的是人心不安。

二〇〇八年十二月廿九日人文志業主管座談

不景氣時，應自我教育去除貪婪、克勤固本，才能保安康。

二〇〇九年一月二十日志工早會

莫輕視小錢，積少成多能大用；勿養成揮霍，固本樸實顧元氣。

二〇〇九年一月二十日志工早會

用感恩心疼惜大地萬物，生活簡單就無缺。

二〇〇九年一月八日志工早會

清清淡淡地生活，自然就平平安安。

二〇〇九年一月廿七日高雄慈濟人座談

國家圖書館出版品預行編目資料

靜思語/釋證嚴著. -- 初版. -- 臺北市：慈
濟文化, 2009.06-
320面；15×21公分 -- (靜思語系列)

ISBN 978-986-7373-77-9 (第3集：平裝)

1. 佛教說法　2. 佛教教化法

225.4　98009641

靜·思·語·系·列

靜思語第三集

著作者　釋證嚴
主編　釋德傅
編輯　黃美之 張勝全
編校志工　嚴淑鈴
美術編輯　釋德耀
內頁插畫　劉建志
出版者　慈濟文化出版社
臺北市忠孝東路3段217巷7弄19號
電話：02-28989888
郵政劃撥　14786031 慈濟文化出版社
印刷者　新豪華製版印刷股份有限公司
出版日　2009年 6月 初版 一刷
2012年11月 初版一二五刷

行政院新聞局局版臺業字第4934號
定價　250元

ISBN：978-986-7373-77-9
Printed in Taiwan

靜思人文
JING SI PUBLICATIONS http:// www.jingsi.com.tw